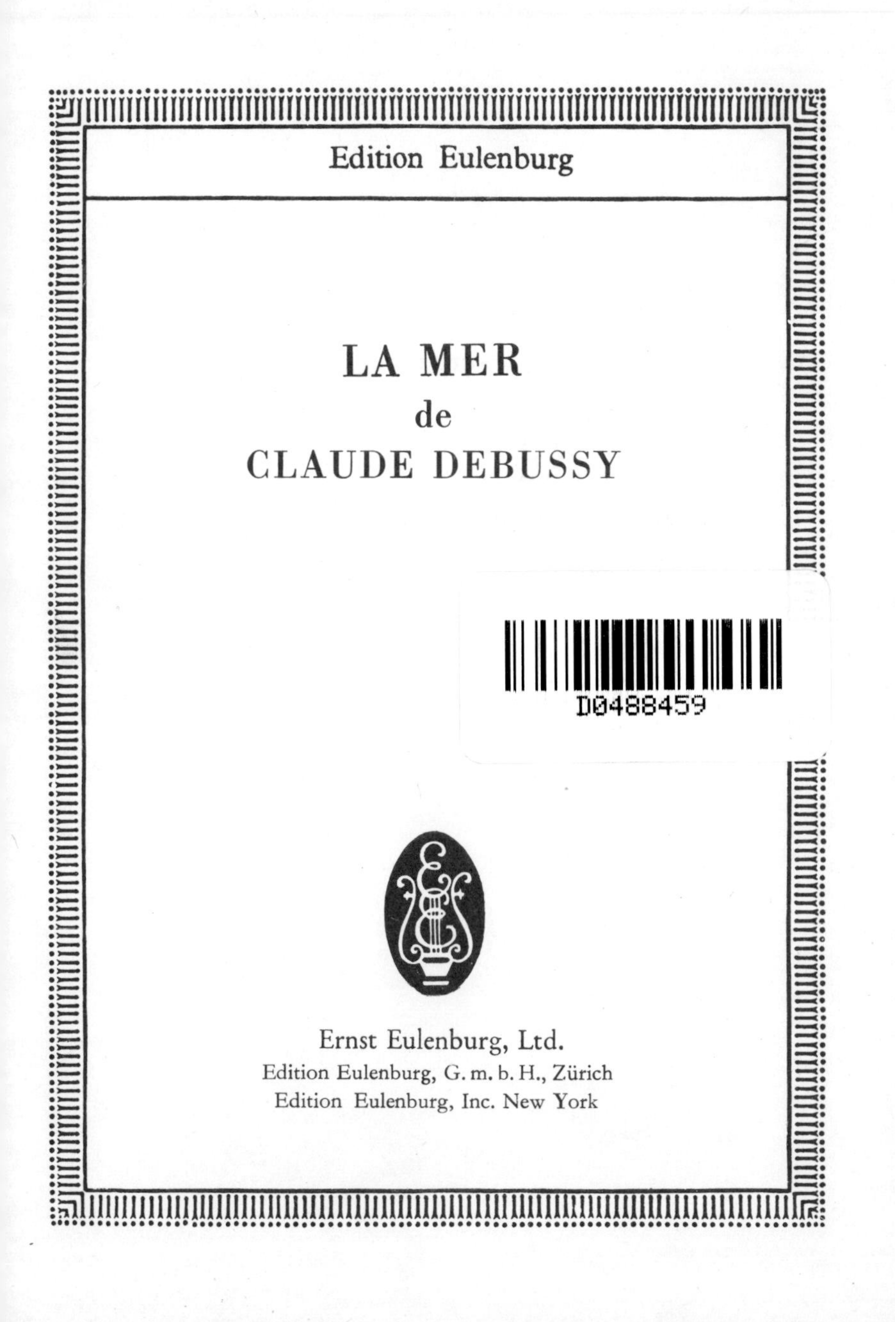

Edition Eulenburg

LA MER
de
CLAUDE DEBUSSY

Ernst Eulenburg, Ltd.
Edition Eulenburg, G. m. b. H., Zürich
Edition Eulenburg, Inc. New York

LA MER

Trois esquisses symphoniques

CLAUDE DEBUSSY
(1862-1918)

1. De l'aube à midi sur la mer

No. 1321
Edition Eulenburg GmbH., Zürich-London

E.E. 6344

Hᵗᵇ
1º
p
Cor A.
pp
3
Cl.
1º
pp
Bons
1º et 2º
pp
Tromp.
1º sourdines
pp
Timb.
sourdines
pp
p
pp
Vl.
sourdines
Unis.
Vla.
Vcl.
C.B.
1
pp expressif et soutenu
piú pp
Unis.

Hᵗᵇ
Cor A.
Cl.
Bons
Tromp.
Timb.
Vl.
Vla.
Vcl.
C.B.
più pp
pp
1o

2 Animez peu à peu jusqu'a l'entrée du 6/8
Gdes Fl.
Cor A.
Cl.
Bons
Tromp.
Timb.
1re Harpe
2de Harpe
Vl.
Vla.
Vcl.
C.B.
p poco cresc.
Div. sans sourdine

Modéré, sans lenteur 116 = ♪
(Dans un rythme très souple)
Gdes Fl.
Cor A.
Cl.
En SI♭
Bons
1°
2°
Tromp.
Timb.
1re Harpe
2de Harpe
Div.
sans sourdine
Modéré, sans lenteur 116 = ♪
(Dans un rythme très souple)
Vl.
Div.
f dim.
1° arco
2° pizz.
Vla.
Vcl.
C.B.

Gdes Fl.
Cl.
Bons
1o
2o
Cors
1re Harpe
2de Harpe
Vl.
Vla.
Div.
Vcl.
C.B.
mf
p
pp

3
Gdes Fl.
Cl.
Bons
Cors
sourdines aux 4 Cors
p expressif et soutenu
p expressif et soutenu
1re Harpe
pp
2de Harpe
3
Vl.
pp
Vla.
pp
Vcl.
pp
C.B.

Gdes Fl.
Cl.
Bons
Cors
mf
p
più p
pp
1re Harpe
più pp
2de Harpe
Vl.
più pp
Vla.
più pp
Vcl.
pp
più pp
C.B.

Gdes Fl.
Htb
Cl.
Bons
2o et 3o
1o Solo
p expressif
4
1re Harpe
2de Harpe
1rs Vons Div.
1 à 4
5 à 8
2ds Vons Div.
Altos Div.
arco
Velles Div.
Un Velle Solo
p expressif
les autres
C.B.
pizz.

Gdes Fl.
Htb
1o
p
Cl.
1o Solo
Bons
p doux et expressif
1re
Harpe
pp
1. Vl.
2. Vl.
Vla.
Vcl.
C.B.

Gdes Fl.
1º Solo
p doux et expressif
Htb
2º
Cor A.
Cl.
Bons
1º et 2º
1er et 2e
Cors
1re
Harpe
Div.
pizz.
1. Vl.
2. Vl.
Vla.
Tous
Vcl.
Div. pizz.
C.B.

Un peu animé
Gdes Fl.
Htb
Cor A.
Cl.
Bons
Cors
1re Harpe
Un peu animé
1.Vl.
2.Vl.
Vla.
Vcl.
Unis. arco
C.B.
arco
à 2

5
au Mouvt
Gdes Fl.
Htb
Cor A.
Cl.
Bons
à 2
Cors
1re et 2de Harpe
1re et 2de
Unis.
arco
1. Vl.
2. Vl.
Vla.
Vcl.
C.B.
pp sur la touche
pizz.

Gdes Fl.
Htb
Cl.
Bons
Cors
1re Harpe
2de Harpe
Vl.
Vla.
Vcl.
C.B.
à 2
Div.
arco
più pp

6
Cédez un peu
Gdes Fl.
1o
p
pp
Htb
1o Solo
Cor A.
Cl.
Bons
3e et 4e Cors
2de Harpe
Un 1er Von Solo
Vl.
Div.
pizz.
arco
Vla.
Vcl.
C.B.

au Mouvt
7
1o Solo
Gdes Fl.
p expressif et soutenu
Pte Fl.
Htb
1o
pp
Cor A.
pp
Cl.
p
pp
Bons
1o
p
Cors
3o
p
pp
1re et 2de Harpes
pp
p
Un 1er Von Solo
pp
p
7
au Mouvt
1rs Vons Div.
Tous
pp
2ds Vons Div.
pizz.
pp
Altos Div.
arco
pizz.
p
pp
Velles Div.
pizz.
arco
p expressif
C.B.
pizz.

Gdes Fl.
pte Fl.
Htb
Cor A.
Cl.
Bons
Cors
Tuba
Solo
1re et 2de Harpes
1. Vl.
2. Vl.
Vla.
Vcl.
C.B.
mf
mf expressif
p cresc.
più p cresc.
pp
arco
pizz.

Gdes Fl.
Pte Fl.
Htb
Cor A.
Cl.
Bons
1o
2o et 3o
Cors
mf très soutenu
Tromp.
1re et 2e Tromb.
3e Tromb. et Tuba
sourdines aux 1er 2e et 3e Trombones
1re et 2de Harpes
1.Vl.
en 3 parties
2.Vl.
Vla.
arco
Vcl.
C.B.
più pp

8
Gdes Fl.
Htb
Cor A.
Cl.
Bons
1o et 2o
p cresc.
mf
p
2o et 3o
Cors
p cresc.
Tromp.
sourdines à 3
p soutenu et en dehors
1re et 2e Tromb.
pp
3e Tromb. et Tuba
1re et 2de Harpes
1.Vl.
pp cresc.
2.Vl.
Unis.
Vla.
Vcl.
pizz.
arco
C.B.

Gdes Fl.
Htb
Cor A.
Cl.
2e et 3o
Bons
Cors
à 3
Tromp.
1re et 2de Harpes
1.Vl.
2.Vl.
Vla.
Vcl.
C.B.
p
mf

Retenu
a Tempo
Gdes Fl.
Htb
Cor A.
Cl.
Bons
à 2
Tromp.
1re et 2e
Timb.
Cymb.
1re et 2de Harpes
1re Solo
più p
Retenu
a Tempo
unis.
pizz.
arco
dim.
Vl.
Vla.
più p
pizz.
Vcl.
p e molto dim.
C.B.

Un peu plus mouvementé 69 = ♩
9 Très rythmé 104 = ♩
Cors
les 4 Cors sans sourdines
Timb.
Cymb.
1re Harpe
Altos
Velles Div.
16 Violoncelles
C.B.
pizz.
arco
Vcl.
dim.

En animant
Gdes Fl.
Htb
Cor A.
Cl.
Bons
Cors
Timb.
Cymb.
1re et 2de
Harpes
En animant
à 8
Div.
Vl.
Div.
Vla.
pizz.
arco
Vcl.
C.B.

Gdes Fl.
mf molto cresc.
Pte Fl.
mf molto cresc.
Htb
p cresc.
a2
mf
molto cresc.
Cor A.
p cresc.
mf
molto cresc.
Cl.
1o
p cresc.
molto cresc.
1e et 2e
Bons
p cresc.
Cors
2o
p cresc.
3o
p cresc.
p
mf
1re et 2de Harpes
8
p cresc.
molto cresc.
Vl.
à 16
p cresc.
Tous Div. en 3
Div. en 2
molto cresc.
p cresc.
molto cresc.
Vla.
p
molto cresc.
Vcl.
pizz.
p cresc.
molto cresc
Tous Div. en 2
pizz.
p cresc.
molto cresc.
C.B.
p cresc.
molto cresc.

10 au Mouvt (Un peu plus mouvementé)
Gdes Fl.
Pte Fl.
Htb
Cor A.
Cl.
a2
Bons
3o
Cors
2o
4o
Cymb.
1re et 2de Harpes
10 au Mouvt (Un peu plus mouvementé)
Unis.
Vl.
Unis.
Vla.
Unis
unis. arco
Vcl.
pizz.
arco
C.B.
pizz.

a 2
Gdes Fl.
Pte Fl
Htb
Cor A.
à 2
Cl.
Bons
Cors
Cymb.
1re et 2de Harpes
Vl.
Vla.
Vcl.
C.B.

Gdes Fl.
Pte Fl.
Htb
Cor A.
Cl.
Bons
Cors
1re Harpe
2de Harpe
Vl.
Vla.
Vcl.
C.B.
11
a 2
à 2
Div.
Unis.
arco

Gdes Fl.
Pte Fl.
Htb
Cor A.
Cl.
Bons
Cors
1re Harpe
2de Harpe
Vl.
Vla.
Vcl.
C.B.
à 2
dim. peu à peu
ff
f

En retenant peu à peu
Gdes Fl.
Pte Fl.
Htb
Cor. A
Cl.
Bons
Cors
Tromp.
Tuba
Timb.
1re
Harpe
En retenant peu à peu
Div.
Vl.
Vla.
Vcl.
C.B.
p
dim. molto

12 Encore plus retenu
Gdes Fl.
Pte Fl.
Htb
Cor A.
Cl.
Bons
1o et 2o
p
più p
Cors
2o
Tromp.
sourdine
1o
p expressif
Tuba
Timb.
pp
1re Harpe
12 Encore plus retenu
1rs Vons Div.
2.Vl.
pizz.
Vla.
Vcl.
C.B.

Gdes Fl.
Pte Fl.
Htb
Cor A.
più p
Cl.
p
più p
Bons
pp
Cors
pp
p
Tromp.
più p
Tuba
più p
Timb.
ppp
Cymb.
pp
1re
Harpe
pp
Div.
1rs Vons
Div.
pp
arco
2ds Vons
Div.
Vla.
Vcl.
C.B.

Presque lent
13
Gdes Fl.
Htb
Cl.
Bons
Cors
à 2
p expr.
Tromp.
sourdines
1er et 2e Tromb.
Tuba
Cymb.
1re et 2de Harpes
1o Solo
1re et 2de
Presque lent
13
1.Vl.
2.Vl.
Vla.
Vcl.
C.B.

Très modéré 104 = ♩
Gdes Fl.
Htb
Cor A.
Cl.
1er et 2e Cors
1er et 2e Tromp.
1er et 2e Tromb.
Tuba
1re et 2de Harpes
sf > pp
Très modéré 104 = ♩
1.Vl.
2.Vl.
Vla.
Un Velle Solo
Vcl.
C.B.
p très expressif et soutenu
pp légèrement soutenu
più pp
Tous Div.
Div.

Gdes Fl.
à 2
pp
Htb
Cor A.
p
dim.
Bons
Cors
1er et 2e
Tromb.
3e Tromb.
1re
Harpe
2de
Harpe
Div.
1. Vl.
pp
Div.
2. Vl.
pp
Vla.
pp
Un Velle
Solo
p
Vcl.
pp
C.B.
pp

Retenu
14
Très lent 80 = ♪
Gdes Fl.
Htb
Cor A.
Cl.
Bons
pp
più p
2o et 3o
pp mais très soutenu
Cors
1er et 2e Tromb.
3e Tromb.
sans sourdine
Cymb.
ppp
1re Harpe
2de Harpe
1.Vl.
2.Vl.
Vla.
Vcl. Solo
Vcl.
C.B.
più pp

à 2
Gdes Fl.
Htb
Cor A.
Cl.
1o
Bons
p
p cresc. molto
Cors
p cresc. molto
Tromp.
sans sourdine
1er et 2e Tromb.
pp
3e Tromb.
p cresc. molto
Timb.
Cymb.
T-tam
1re Harpe
p cresc. molto
2de Harpe
Vl.
Vla.
Vcl.
C.B.
pp cresc. molto

Gdes Fl.
Htb
à 2
mf
f
più f
Cor A.
à 2
Cl.
Bons
Cors
Tromp.
1o
2o
1er et 2e Tromb.
3e Tromb. et Tuba
Timb.
Cymb.
T-tam
pp
1er Harpe
gliss.
2de Harpe
Vl.
Vla.
Vcl.
C.B.

15
Retenu
a tempo
Gdes Fl.
Pte Fl.
Htb
Cor A.
Cl.
à 2
1o et 2o
a2
Bons
1o
2o et 3o
Cors
Cuivrez
Cuivrez
Tromp.
3o
1er et 2e Tromb.
3e Tromb. et Tuba
Timb.
Cymb.
T- tam
1re et 2de Harpes
15
Retenu
a tempo
Vl.
Vla.
Vcl.
arco
pizz.
C.B.
pizz.
arrachez
arrachez
più f

2. Jeux de vagues

*) ou Célesta

Gdes Fl.
Cor A.
Cl.
Bons
Cors
Tromp.
Cymb.
Glock.
1re et 2de
Harpes
Vl.
Vla.
Vcl.
C.B.
arco
Div.
p
più p
pp
20

16 Animé 72 = ♩.
Gdes Fl.
Cor A.
Cl.
Bons
1º et 2º sourdines
Cors
3º sourdine
1º et 2º sourdines
Tromp.
Glock.
1re et 2de Harpes
16 Animé 72 = ♩.
pizz.
arco
Vl.
sur la touche
Vla.
sur la touche
pizz.
Vcl.
C.B.

Cor A.
Cors
Glock.
1re et 2de Harpes
Vl.
Vla.
Vcl.
C.B.
17
Gdes Fl.
Htb
Cor A.
Cors
Cymb.
Glock.
1re et 2de Harpes
Vl.
Vla.
Vcl.
C.B.
1o Solo
Div.
arco
Div.

Htb
Cors
Cymb.
Glock.
1re et 2de Harpes
Vl.
Vla.
Vcl.
C.B.
2o
à 2
Cl.
Bons
p doux
p doux et expressif
pizz.
arco

18
Gdes Fl.
Pte Fl.
Htb
Cor A.
Cl.
Bons
Cors
Tromp.
sourdines
Trg.
Cymb.
Glock.
1re et 2de Harpes
18
Vl.
Vla.
Vcl.
C.B.
pizz.
arco

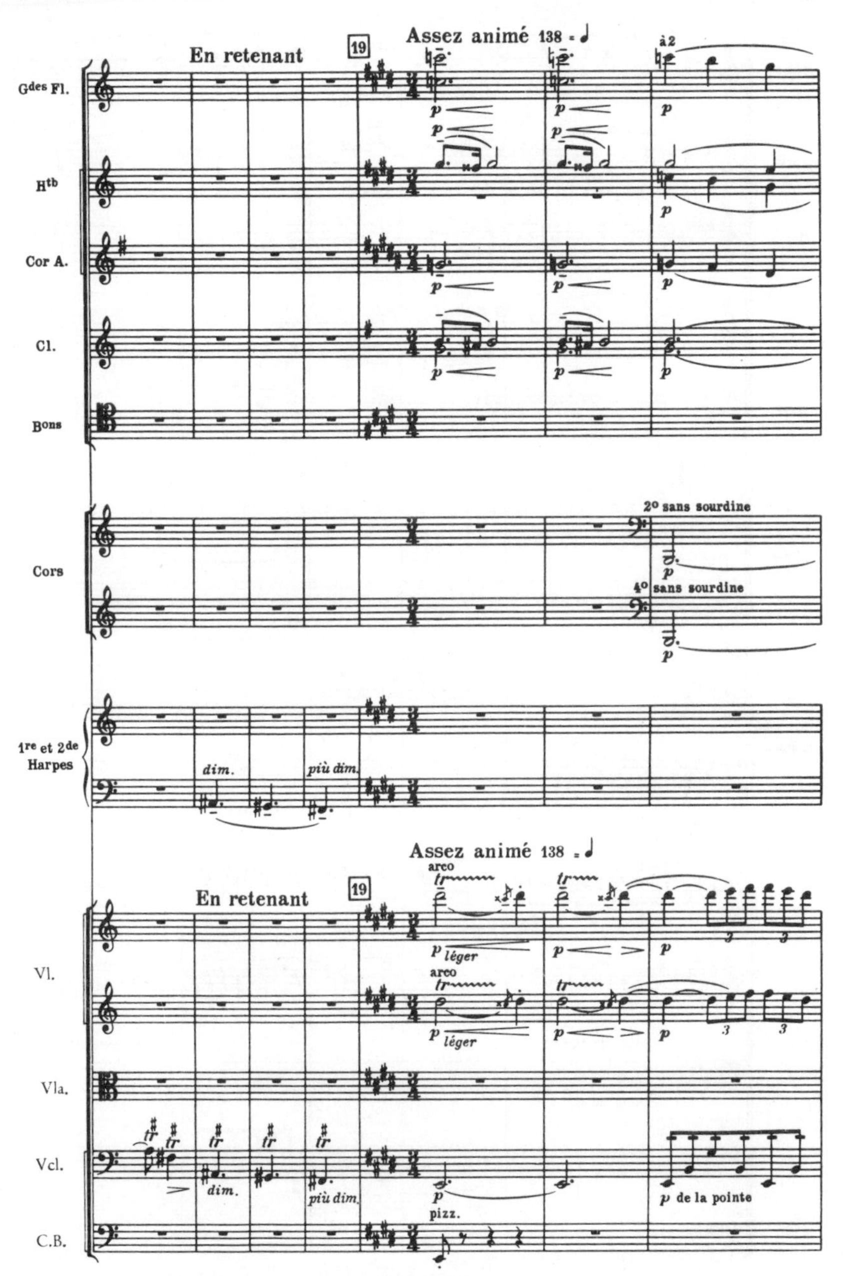

En retenant
19
Assez animé 138 = ♩
à 2
Gdes Fl.
Htb
Cor A.
Cl.
Bons
2° sans sourdine
4° sans sourdine
Cors
1re et 2de Harpes
dim.
più dim.
arco
léger
Vl.
Vla.
Vcl.
de la pointe
pizz.
C.B.

à 2
Gdes Fl.
Htb
Cor A.
Cl.
1o et 2o
Bons
1o
2o
Cors
4o
1re et 2de
Harpes
Vl.
Vla.
arco
p de la pointe
Vcl.
C.B.
pizz.

Gdes Fl.
Htb
Cor A.
Cl.
Bons
Cors
Trg.
1re Harpe
2de Harpe
Vl.
Vla.
Vcl.
C.B.
p
1o
2o
Div.
più p
Unis.
pizz.

20
Gdes Fl.
Cl.
Bons
Cors
1o et 2o
p doux et express.
3o
p doux et express.
Trg.
f
1re Harpe
RÉ♭ DO♯ MI♭
p
gliss.
mf
2de Harpe
RÉ♭ DO♯ MI♭
mf
gliss.
p
20
Vl.
p
pizz.
p
p
pizz.
p
Vla.
p
pizz.
p
Vcl.
arco
p
p doux et express.
C.B.
p

Gdes Fl.
Cl.
Bons
Cors
Trg.
1re Harpe
2de Harpe
Vl.
Vla.
Vcl.
C.B.
1o tr
3o
gliss.
p
mf
f

21
Gdes Fl.
Cor A.
Cl.
Bons
1o tr
p
p très léger
dim. molto
3o
Cors
Cymb.
Glock.
1re et 2de Harpes
pp
Vl.
Vla.
arco tr
mp dim. molto
Div.
Vcl.
C.B.

Cédez un peu
Gdes Fl.
più p
Cor A.
Solo
p expressif (en dehors)
Cl.
più p
Bons
Cors
Trg.
Cymb.
Glock.
1re et 2de Harpes
pp
Cédez un peu
pizz.
arco
Div.
Vl.
Div. pizz.
Div. arco
Vlo.
Vcl.
C.B.

Gdes Fl.
Cor A.
Cl.
Bons
Cors
1º Solo
p doux et expressif
Trg.
Cymb.
Glock.
1re et 2de Harpes
Vl.
arco
pizz.
Vla.
Unis.
Vcl.
C.B.

22 au Mouvt (peu à peu)
Gdes Fl.
Cor A.
Cl.
Bons
à 2
Cors
3o
Trg.
Cymb.
Glock.
1re et 2de Harpes
Vl.
pizz.
Unis. arco
mf expressif
Vla.
Vcl.
Unis.
C.B.

Cédez
Gdes Fl.
Htb
Cor A.
Cl.
Bons
Cors
Tromp.
Vl.
Vla.
Vcl.
C.B.
à 2
1º et 2º
pizz.
arco
1º Solo
léger

23
Gdes Fl.
Cor A.
Cl.
Bons
1er et 2o Cors
Vl.
Vla.
Vcl.
C.B.
mf
léger
p
1o Solo
p gracieux et léger
3
f
pp
dim.
p
Gdes Fl.
Cor A.
Cl.
1re et 2e Cors
Glock.
Vl.
Vla.
Vcl.
C.B.
pp
arco

Gdes Fl.
pp
Htb
Cor A.
pp
3
Cl.
pp
3
1o et 2o
Bons
pp
1o
pp
Cors
3o
pp
p
1re
Harpe
Von Solo
Vl.
pp
pp
pp
Vla.
pp
pizz.
Vcl.
pp
C.B.

24
Gdes Fl.
Htb
1o léger
pp
Cor A.
Cl.
pp
Bons
Cors
pp
pp
1re
Harpe
p
24
Von Solo
p
Div.
Vl.
pp
Div.
pp
Div.
Vla.
pp
Vcl.
C.B.

Gdes Fl.
Htb
Cor A.
Cl.
Bons
Cors
1re Harpe
Von Solo
Vl.
Vla.
Vcl.
C.B.
1o
léger
p léger
mf expressif (en dehors)
3o
p expressif
arco

Animez
Gdes Fl.
Pte Fl.
Htb
Cor A.
Cl.
Bons
Cors
1re Harpe
Animez
Vl.
Unis.
Vla.
pizz.
Vcl.
C.B.

Gdes Fl.
Pte Fl.
Htb
Cor A.
Cl.
Bons
Cors
Tromp.
Glock.
1re Harpe
Vl.
Vla.
Vcl.
C.B.
mf cresc.
Unis.
pizz.
mf
p

25 au Mouvt 112 = ♩
Gdes Fl.
Pte Fl.
Htb
1o Solo
Cor A.
Cl.
Bons
Cors
Tromp.
Glock.
1re Harpe
Vl.
Div.
Unis.
Vla.
arco
Vcl.
C.B.
pp
p

Gdes Fl.
Pte Fl.
Htb
Cl.
Cors
Tromp.
Trg.
Cymb.
Glock.
1re Harpe
Vl.
Vla.
Vcl.
C.B.
p très expressif
molto
pp subito
deux 1rs Vons Soli
deux 2ds Vons Soli
2 Altos Soli
2 Velles Soli

26
Gdes Fl.
1o
pp
Pte Fl.
pp
sourdines aux 1er et 2o Cors
2o
Cors
più p
f
p
sourdine au 3o Cor
3o
Tromp.
sourdines 1o et 2o
Trg.
Cymb.
1re Harpe
Tous pizz.
Vl.
mf
sf
Vla.
Vcl.
les autres Div.
pizz.
C.B.
sfz

Gdes Fl.
pp
3
Cors
2o
1o
3o
più p
Tromp.
Trg.
Cymb.
1re Harpe
Div. arco
arco
Div. arco
Vl.
Vla.
Vcl.
C.B.
p expressif (en dehors)

Gdes Fl.
pp
Cors
pp
pp
Tromp.
pp
Trg.
Cymb.
1re
Harpe
pp
Vl.
Div.
Vla.
Unis.
Vcl.
C.B.

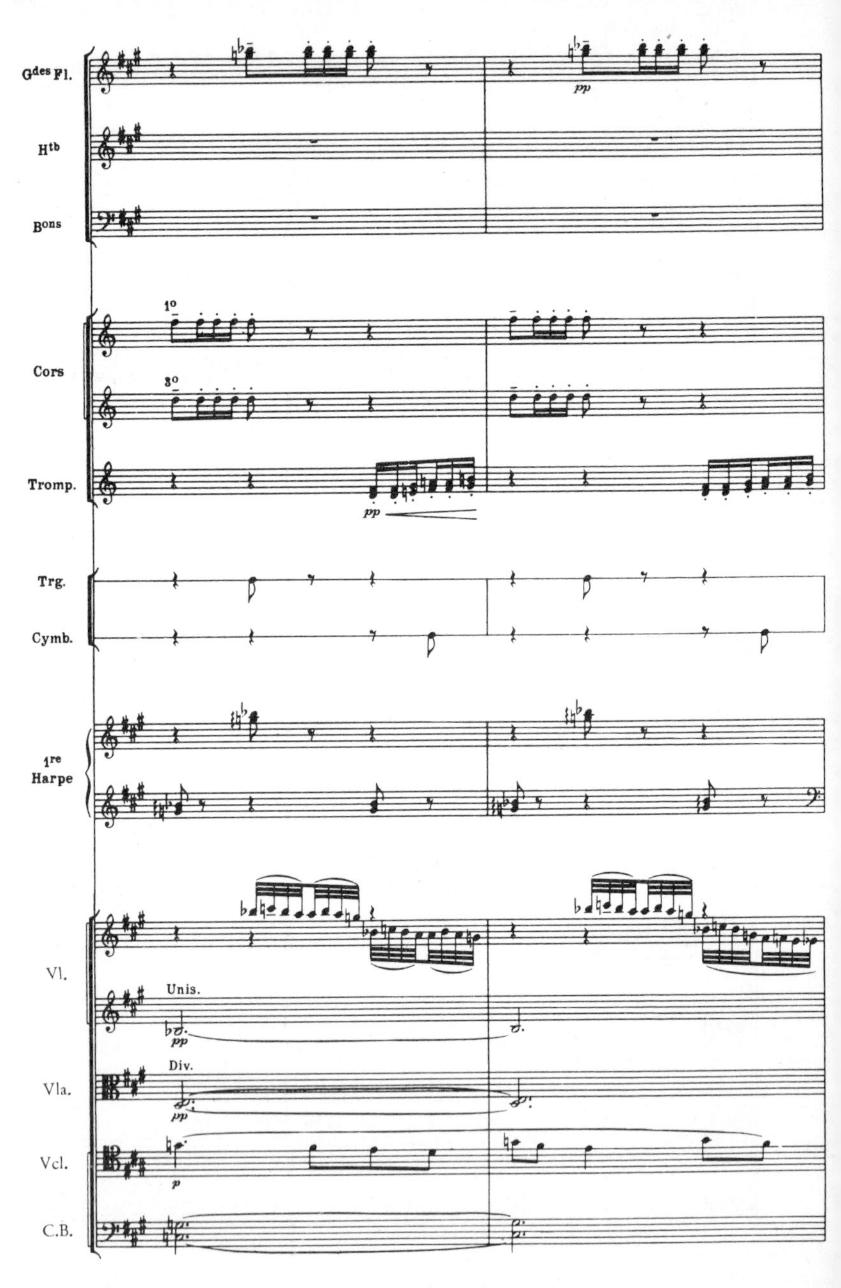

Gdes Fl.
Htb
Bons
Cors
1o
3o
Tromp.
Trg.
Cymb.
1re Harpe
Vl.
Unis.
Vla.
Div.
Vcl.
C.B.

27 En serrant
Gdes Fl.
p cresc.
Htb
p cresc.
Cl.
1o
mf
Bons
p
mf
Cors
2o
p
sans sourdine
mf
4o
p
mf
Cymb.
1re et 2de
Harpes
à 2
sf
27 En serrant
Unis.
mf
Vl.
p cresc.
Unis.
Vla.
p cresc.
Vcl.
p cresc.
C.B.
p cresc.

Gdes Fl.
f
Htb
f
Cl.
f
Bons
f
dim.
Cors
f
sans sourdine
dim.
p
f
dim.
Cymb.
1re et 2de Harpes
sf
dim.
p
Vl.
f
f
Div.
Vla.
f
dim.
p dim.
Div.
Vcl.
Unis.
f
dim.
p
C.B.
f

au Mouvt 112 =
Gdes Fl.
Pte Fl.
1o Solo
Htb
Cor A.
1o Solo
Cl.
Bons
Cors
3o
Tromp.
Cymb.
1o Solo
1re et 2de Harpes
au Mouvt 112 =
Div.
Vl.
Div.
Vla.
Div.
Vcl.
C.B.

28
En animant beaucoup
Gdes Fl.
Pte Fl.
Htb
Cor A.
Cl.
Bons
à 2
Cors
3o
Tromp.
1o Solo
p en dehors
cresc. molto
Cymb.
1re Harpe
Unis.
sur le chevalet
Vl.
Vla.
Vcl.
pizz.
C.B.

Gdes Fl.
Pte Fl.
Htb
Cor A.
Cl.
Bons
Cors
Tromp.
Cymb.
1re et 2de Harpes
Vl.
Vla.
Vcl.
C.B.
mf
f
ff
dim.
à 2
a 2
pizz.
arco

Riten.
29 au Mouvt 112 = ♩
Gdes Fl.
Pte Fl.
Htb
a 2
Cor A.
Cl.
Bons
Cors
bouchez
(sans durete)
bouchez
(sans durete)
Tromp.
Cymb.
1re et 2de Harpes
Riten.
29 au Mouvt 112 = ♩
pizz. (à vide)
pizz. (à vide)
Vl.
Vla.
Div.
Vcl.
Div.
C.B.
Div. arco

Gdes Fl.
Htb
Cor A.
Cl.
Bons
Cors
Tromp.
Cymb.
1re et 2de Harpes
Vl.
Vla.
Vcl.
C.B.
1o
p
tr
dim.
1o Solo
Unis.
pizz.
pp

30
Gdes Fl.
Htb
Cor A.
Cl.
Bors
Cors
Tromp.
Cymb.
1re et 2de Harpes
1o Solo
p doux
più p
1o et 2o
1o Solo
Div. en 3 parties
arco
Unis.
pizz.
Div.
arco
Vl.
Vla.
Vcl.
C.B.

Gdes Fl.
Pte Fl.
Htb
Cor A.
Cl.
Bons
Cors
Tromp.
Trg.
Cymb.
1re
Harpes
Div. en 3 part.
arco
Unis.
pizz.
Vl.
Vla.
Vcl.
C.B.
più pp

31
Gdes Fl.
Pte Fl.
Htb
Cor A.
Cl.
Bons
Cors
Tromp.
Trg.
Cymb.
1re et 2de Harpes
Div. en 3 part.
arco
pizz.
Vl.
Vla.
Div.
Vcl.
C.B.

Peu à peu animé pour arriver à 138 = 𝅗𝅥 au 32
Gdes Fl.
Htb
Cor A.
Cl.
Bons
Cors
2o
4o
Tromp.
Trg.
Cymb.
1re et 2de
Harpes
Vl.
Div. en 2
arco
Unis.
arco
Vla.
Unis.
Vcl.
C.B.

Gdes Fl.
Htb
Cor A.
Cl.
Bons
Cors
Tromp.
Trg.
Cymb.
Glock.
1re et 2de Harpes
Div. en 3
Vl.
Div. en 3
Vla.
Vcl.
C.B.

Gdes Fl.
Htb
Cor A.
Cl.
Bons
Cors
Tromp.
Trg.
Cymb.
Glock.
1re et 2de Harpes
Vl.
Vla.
Vcl.
C.B.
à 2
1o et 2o
cresc. molto
pizz.

32
Gdes Fl.
Pte Fl.
Htb
Cor A.
Cl.
Bons
1o et 2o
Cors
3o et 4o
Tromp.
Trg.
Cymb.
Glock.
1re et 2de
Harpes
32
Unis.
Vl.
Unis.
arco
Vla.
pizz.
Vcl.
pizz.
C.B.

Gdes Fl.
Pte Fl.
Htb
Cor A.
Cl.
Bons
Cors
à 2
Tromp.
Cymb.
1re et 2de Harpes
Vl.
Div.
Vla.
Vcl.
C.B.
ff
dim.
p

33
Animé 138= ♩
à 2
Gdes Fl.
p un peu en dehors
Pte Fl.
Htb
1o Solo
Cor A.
Cl.
Bons
1o et 2o
Cors
2o
4o
Glock.
1re et 2de Harpes
Vl.
pp très léger
Vla.
pp très léger
arco
Vcl.
C.B.
arco

Gdes Fl.
Pte Fl.
Htb
Cor A.
Cl.
Bons
Cors
Glock.
1re et 2de Harpes
Vl.
Vla.
Vcl.
C.B.
p expressif et soutenu
p expressif et soutenu

10
Gdes Fl.
pte Fl.
Htb
Cor A.
Cl.
Bons
Cors
1re et 2de
Harpes
Vl.
Vla.
Vcl.
C.B.

34
Gdes Fl.
Pte Fl.
Htb
Cor A.
Cl.
Bons
Cors
Tromp.
1re et 2de Harpes
Vl.
Vla.
Vcl.
C.B.
p expressif
p léger
pizz.

Gdes Fl.
Pte Fl.
Hth
Cor A.
Cl.
Bons
Cors
Tromp.
1re et 2de Harpes
Vl.
Vla.
Vcl.
C.B.
1o
à 2
2o
3o
1o Solo
Unis.
p expressif et soutenu

35 En animant beaucoup
Gdes Fl.
Pte Fl.
Htb
Cor A.
Cl.
Bons
Cors
Tromp.
1re et 2de Harpes
35 En animant beaucoup
Div.
Vl.
Div.
Div. en 3
Vla.
pizz.
Vcl.
arco
C.B.

Gdes Fl.
Pte Fl.
Htb
Cor A.
Cl.
Bons
Cors
Tromp.
1re et 2de Harpes
Vl.
Vla.
Vcl.
C.B.
à 2
1o
1o et 2o
3o

36

Gdes Fl.

Pte Fl.

Htb

Cor A.

Cl.

Bons

Cors

Tromp.

1o

1re et 2de Harpes

36

Vl.

Vla.

Vcl.

C.B.

cresc.

à 2
Gdes Fl.
Pte Fl.
Htb
Cor A.
Cl.
Bons
1o et 2o
f très expressif et très soutenu
Cors
3o
Tromp.
1o
1re et 2de Harpes
Vl.
Vla.
arco
Vcl.
f très expressif et très soutenu
pizz.
C.B.
Div.
arco

Gdes Fl.
Htb
Cor A.
Cl.
Bons
Cors
1re et 2de Harpes
1o Solo
ff glissando sur les 2 mesures en croisant
Vl.
Vla.
Vcl.
C.B.
mf
f

Gdes Fl.
Htb
Cor A.
Cl.
Bons
à 2
Cors
1re Harpe
ff
glissando
(en croisant)
Vl.
Unis.
Vla.
Vcl.
C.B.
f
mf

37
Très animé
Gdes Fl.
Htb
Cor A.
Cl.
Bons
Cors
1re et 2e Harpe
à 2
Très animé
37
Div.
Div.
Vl.
Vla.
Vcl.
C.B.
cresc.

Gdes Fl.
Pte Fl.
Htb
Cor A.
Cl.
à 2
Bons
Cors
Tromp.
1re et 2de Harpes
Vl.
Unis.
Vla.
Vcl.
C.B.

38
Gdes Fl.
Pte Fl.
Htb
Cor A.
Cl.
Bons
Cors
sourdines
aux 4 Cors
Tromp.
à 2
1re et 2ed
Harpes
Unis.
Vl.
Vla.
Vcl.
arco
C.B.

En retenant
Gdes Fl.
Hth
Cor A.
Cl.
Bons
1o et 2o
dim.
1o Solo
Vl.
pizz.
pizz.
dim.
Vla.
dim.
Vcl.
dim.
C.B.
dim.
39 au Mouvt 138 =
Cl.
1o Solo
p très doux
Bons
più p
Cors
3o p
più p
p
più p
Cymb.
Trg.
gliss.
1re Harpe
RÉ♭
DO♯ MI♭
2de Harpe
gliss.
RÉ♭
DO♯ MI♭
Vl.
Vla.
Div. pizz.
Vcl.
più p
sempre più p et expressif
C.B.
più p

Cl.
Cors
pp
3o
p
Cymb.
Trg.
ppp
pp
1re Harpe
RÉ♭
DO♯ MI♭
gliss.
mf
2de Harpe
Vl.
Vla.
arco
Vcl.
C.B.
Bons
1o et 2o
1o +
pizz.
più p

40
Gdes Fl.
à 2
pp
Cor A.
p très doux
Cl.
Cors
1o
4o
più pp
Glock.
1re Harpe
2de Harpe
p
Vl.
Div. arco
Vla.
Vcl.
pizz.
C.B.

41
Gdes Fl.
Pte Fl.
Htb
Cor A.
Cors
Tromp.
Glock.
1re Harpe
2de Harpe
Vl.
Vl.
Vla.
Vcl.
C.B.
pp
pp très doux
1o
molto dim.
sourdine
6. 1ers Vons
sourdines
1. 2.
3. 4.
5. 6.
arco
ppp
les autres
Div.

42
Pte Fl.
pp
1o
Tromp.
pp
Cymb.
pp
pp
1re et 2de
Harpes
pp
1. 2.
3. 4.
5. 6.
Vl.
ppp
ppp
Vl.
ppp
Vla.
Vcl.
ppp
sempre ppp
C.B.
ppp
sempre ppp
Gdes Fl.
1o
pp
2o
ppp
Cymb.
pp
ppp
ppp
Glock.
ppp
1re Solo
ppp
pp
ppp
42
6. 1ers Vons Soli
ppp
Vl.
Vla.
Vcl.
C.B.

3. Dialogue du vent et de la mer

43
Htb
Cl.
C. Bon
Tromp.
sourdines
Timb.
Cymb.
Gr. C.
T-tam
Vl.
Vla.
Vcl.
C.B.
Sur le chevalet
Div.
Htb
Cor A.
Cl.
1er et 2e Bons
C. Bon
Timb.
Gr. C.
Vl.
Vla.
Vcl.
C.B.
Position ordinaire
Unis.

Htb
Cor A.
1re Cl.
2de Cl.
1er et 2e Bons
3e Bon
C Bon
Cors
sourdines aux 4 Cors
Timb.
Cymb.
Gr. C.
T-tam
Vl.
Vla.
pizz.
Vcl.
Div. en 3
arco
C.B.
Div.

Htb
Cor A.
1re Cl.
2de Cl.
1er et 2e Bons
3e Bon
C.Bon
Timb.
Cymb.
Gr. C.
Vl.
Vla.
Vcl.
C.B.
mf
p
pp
arco
3

Htb
1er et 2e Bons
3e Bon
C.Bon
Cors
Tromp.
3 Tromb.
Tuba
Timb.
Cymb.
Gr.C.
Vl.
Vla.
Vcl.
C.B.
pp
1o
2o
3o
4o
f
Div. en 3 Sur la touche
sf > p pp
pizz.
Unis.

44
Hᵗᵇ
Cor A.
3 Bons
à 3
pp
C.Bon
pp
Cors
1º Solo sourdine
Tromp.
f expressif
3
3
3 Tromb.
pp
Tuba
pp
Timb.
pp
Cymb.
Gr.C.
pp
T-tam
p
44
Vl.
Vla.
Vcl.
C.B.

Hth
Cor A.
Cl.
3 Bons
C Bon
Cors
Tromp.
3 Tromb.
Tuba
Timb.
Cymb.
Gr. C.
T-tam
Vl.
Vla.
Vcl.
C.B.
1o
2o
4o
En LA
sans sourdine
Div.
Div.
Div. arco
pizz.
arco

45
Gdes Fl.
Htb
Cor A.
Cl.
1o et 2o
3 Bons
p
mf
1o sans sourdine
3o sans sourdine
Cors
Timb.
Cymb.
Gr. C.
Vl.
Unis.
Vla.
Vcl.
C.B.

Gdes Fl.

Htb

Cor A.

Cl.

3 Bons

Cors

Tromp.

Timb.

Cymb.

Gr. C.

Vl.

Vla.

Vcl.

C.B.

p mf

Gdes Fl.
Htb
Cor A.
Cl.
3 Bons
1o et 2o
mf
Cors
1o
2o
Tromp.
Timb.
Cymb.
Gr. C.
sec.
f
ff
Vl.
Vla.
Vcl.
C.B.
Div.
Unis.
pizz.

46
Cédez très légèrement et retrouvez peu à peu le mouvement initial
Htb
Cor A.
Cl.
1er Bon
2e et 3e Bons
C.Bon
Cors
Tromp.
Gr. C.
mf
expressif et soutenu
p
1o
2o
3o
46
Cédez très légèrement et retrouvez peu à peu le mouvement initial
Vl.
Vla.
Vcl.
C.B.
arco

Hᵗᵇ
Cor A.
Cl.
1er Bon
2e et 3e Bons
C Bon
Cors
Tromp
Gr.C.
Vl.
Vla.
Vcl.
C.B.
mf
molto cresc.
mf cresc.
cresc.
f
p

Htb
Cor A.
Cl.
1er Bon
2e et 3e Bons
C. Bon
Cors
Tromp.
Gr. C.
Vl.
Vla.
Vcl.
C.B.
mf
p
pp

1o
Htb
Cor A.
Cl.
1er Bon
2e et 3e Bons
C. Bon
Cors
Gr. C.
Vl.
Vla.
Velles Div.
C.B.
mf
p

47 Tempo I
a 2
Gdes Fl.
p doux et expressif
Htb
Cor A.
pp
p doux et expressif
Cl.
1er Bon
2e et 3e Bons
Cors
3o pp
Gr. C.
47 Tempo I
arco
Vl.
pizz.
Vla.
Velles Div.
p doux et expressif
C.B.

à 2
Gdes Fl.
Htb
Cor A.
Cl.
1er Bon
2e et 3e Bons
Cors
Gr.C.
Vl.
Vla.
Velles Div.
C.B.

Gdes Fl.
Htb
Cor A.
Cl.
1er et 2e Bons
3e Bon
Cors
Gr. C.
Vl.
Vla.
Velles Div.
C.B.
p
f
arco
3

Gdes Fl.
Htb
Cor A.
Cl.
à 2
à 2
1er et 2e
Bons
3e Bon
Cors
Cymb.
Vl.
Vla.
Vcl.
Unis.
C.B.
pizz.

48
Gdes Fl.
Htb
Cor A.
Cl.
à 2
1er et 2e Bons
à 2
3e Bon
C Bon
Cors
Cymb.
48
Div.
Div.
Vl.
pizz.
Vla.
pizz.
Vcl.
C.B.

Gdes Fl.
Htb
Cor A.
à2
Cl.
1er et 2e Bons
3e Bon
C. Bon
1o
Cors
3 Tromp.
sourdines
Cymb.
Vl.
Vla.
arco
Vcl.
arco
C.B.
arco

49
Gdes Fl.
Htb
à2
p
f
Cor A.
Cl.
1er et 2e Bons
3e Bon
C. Bon
Cors
3 Tromp.
Cymb.
Vl.
mf
3
Vla.
Vcl.
C.B.

à 2
Gdes Fl.
Pte Fl.
Htb
Cor A.
Cl.
1er et 2e Bons
3e Bon
Cors
1o
3o
Cymb.
Vl.
Vla.
Vcl.
C.B.

Gdes Fl.
Pte Fl.
Htb
Cor A.
Cl.
1er Bon
2e et 3e Bons
à2
Cors
Cymb.
Vl.
Vla.
Vcl.
C.B.
dim.
pizz.
ten.

Gdes Fl.
Pte Fl.
Htb
Cor A.
Cl.
1er Bon
2e et 3e Bons
à 2
Cors
Cymb.
Vl.
Vla.
Vcl.
C.B.
p
f
3

Gdes Fl.
Pte Fl.
Htb
Cor A.
Cl.
1er Bon
2e et 3e Bons
Cors
Cymb.
Vl.
Vla.
Vcl.
C.B.
f
p
mf
pizz.
ten.
3

Gdes Fl.
Pte Fl.
Htb
Cor A.
Cl.
1er Bon
2e et 3e Bons
à 2
Cors
1o
3o
Cymb.
Vl.
Vla.
Vcl.
arco
C.B.
arco

50
Gdes Fl.
Pte Fl.
Htb
Cor A.
Cl.
1er Bon
2e et 3e Bons
C. Bon
Cors
Tromp.
3 Tromb.
Cymb.
Vl.
Vla.
Vcl.
C.B.
du talon

Gdes Fl.
Pte Fl.
Htb
Cor A.
Cl.
1er Bon
à2
2e et 3e Bons
C. Bon
2o
4o
Cors
1re et 2e sans sourdines
Tromp.
3 Tromb.
Cymb.
Vl.
Vla.
Vcl.
C.B.

Gdes Fl.
Pte Fl.
Htb
Cor A.
Cl.
1er Bon
2e et 3e Bons
C. Bon
Cors
Tromp.
3 Tromb.
Cymb.
Vl.
Vla.
Vcl.
C.B.
mf molto cresc.

51
Gdes Fl.
Pte Fl.
Htb
Cor A.
Cl.
1er Bon
2e et 3e Bons
C. Bon
Cors
1o et 2o
Tromp.
Cornets
à 2
3 Tromb
Tuba
Timb.
Cymb.
Gr.C.
T-tam
51
Vl.
Vla.
près du chevalet
Vcl.
près du chevalet
C.B.

52
Gdes Fl.
Pte Fl.
Htb
Cor A.
Cl.
1er Bon
1o et 2o
f e dim.
2e et 3e Bons
3o
f e dim.
C. Bon
f e dim.
mf e dim. molto
Cors
mf e dim. molto
mf e dim. molto
Tromp.
f e dim.
Cornets
3 Tromb.
p e dim. molto
Tuba
Timb.
Cymb.
Gr.C.
T-tam
52
Vl.
ff
f
ff
f
mf
Vla.
ff
f
mf
sur la touche
Vcl.
ff
f e dim.
mf e dim. molto
sur la touche
C.B.
f e dim.
mf e dim. molto
p e dim. molto

Très soutenu
Cl.
En SI♭ à 2
p
pp
1er et 2e Bons
à 2
3e Bon
C. Bon
Cors
p un peu en dehors
sourdines aux 4 Cors
p un peu en dehors
Tromp.
Cornets
Solo
à 2
pp et très lointain
3 Tromb.
à 3
ppp
Tuba
ppp
Timb.
ppp
Cymb.
pp
Gr. C.
T-tam
ppp
Très soutenu
Vl.
Vla.
Vcl.
Div.
pp
C.B.
ppp

Retenu
53
1er et 2e Bons
3e Bon
C. Bon
Cors
Tromp.
1o Solo
8. 1ers Vons Soli
Div. en 2
Vl.
Vla.
Vcl.
C.B.
Unis.
Div.
pizz.

Retenu
1er et 2e Bons
3e Bon
Cors
Tromp.
Vl.
Vla.
Vcl.
C.B.
pizz.

au Mouvt
Gdes Fl.
Htb
Cor A.
Cl.
1er et 2e Bons
Cors
Vl.
Vla.
Vcl.
C.B.
p expressif
mf expressif
mf
dim.
1o et 2o
Tous Div.
Div.
Unis.
arco
pp
54
3e Bon
pizz.
sourdines
più p
sf
f
pp

Retardez un peu pendant ces 4 mesures
Plus calme et très expressif
1° Solo
pp
Gdes Fl.
Htb
Cl.
Cors
4°
1re Harpe
SOL ♯
MI ♯
2de Harpe
Vl.
Vla.
sur la touche
Vcl.
molto pp
4 C. Basses Soli
arco
C.B.

10
Gdes Fl.
3
10
Htb
3
Cl.
20
pp
Cors
40
1re
Harpe
2de
Harpe
Vl.
sur la touche
pp
pp
Vla.
pp
Vcl.
C.B.

Reprenez peu à peu le Mouvt
Gdes Fl.
Htb
Cl.
1o
pp
p
Cors
1re Harpe
2de Harpe
DO♭
SI ♮
Reprenez peu à peu le Mouvt
Vl.
pp
Vla.
pp
Vcl.
C.B.

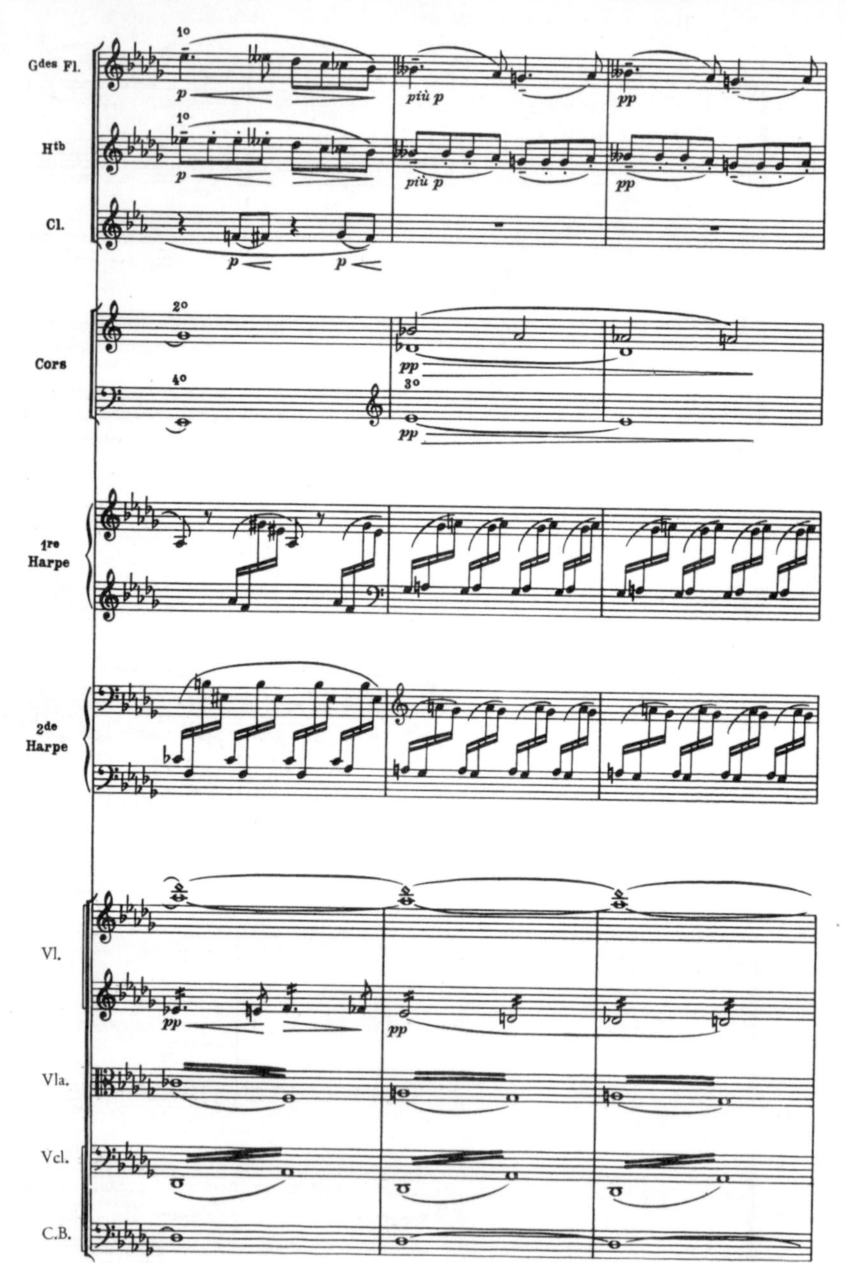

Gdes Fl.
Htb
Cl.
Cors
1re Harpe
2de Harpe
Vl.
Vla.
Vcl.
C.B.
1o
p
più p
pp
2o
4o
3o

55 Cédez pendant ces 4 mesures
Retenu
Gdes Fl.
più pp
pp
3
Htb
più pp
pp
Cl.
1o
pp
Cors
più pp
più pp
4o
pp
1re Harpe
più pp
pp
2de Harpe
più pp
pp
SOL♯
MI♯
55 Cédez pendant ces 4 mesures
Retenu
Vl.
pizz.
più pp
Vla.
più pp
pp
Vcl.
C.B.

Gdes Fl.
Htb
Cl.
Cors
1re Harpe
2de Harpe
Vl.
arco
pp
Vla.
Vcl.
C.B.

Reprenez peu a peu le Mouvt
Gdes Fl.
Pte Fl.
Htb
Cor A.
Cl.
3 Bons
Cors
Glock.
1re Harpe
2de Harpe
DO♭
MI♮
Reprenez peu a peu le Mouvt
Vl.
Vla.
Vcl.
C.B.

Gdes Fl.
Pte Fl.
Htb
Cor A.
Cl.
3 Bons
Cors
Ôtez la sourdine aux 4 Cors
Glock.
1re Harpe
2de Harpe
Div.
Vl.
ôtez les sourdines
Vla.
ôtez les sourdines
Div.
Vcl.
Toutes pizz.
C.B.

Gdes Fl.
Pte Fl.
Htb
Cor A.
pp
Cl.
pp
3 Bons
Cors
10
pp doux et expressif
Glock.
pp
1re Harpe
pp
pp
2de Harpe
pp
pp
Vl.
p
pp
pp
pp
Vla.
pp
Vcl.
pp
pp
C.B.
arco
pp
pp

En animant
2°
Gdes Fl.
p poco a poco cresc.
p cresc.
Pte Fl.
Htb
p cresc.
Cor A.
p poco a poco cresc.
Cl.
p poco a poco cresc.
3 Bons
Cors
p poco a poco cresc.
1°
Glock.
1re Harpe
p poco a poco cresc.
2de Harpe
p poco a poco cresc.
En animant
Vl.
pizz.
p cresc.
Vla.
p poco a poco cresc.
Vcl.
p poco a poco cresc.
C.B.

Gdes Fl.
più cresc.
mf
Pte Fl.
mf
Htb
più cresc.
à 2
mf
Cor A.
mf
Cl.
mf
1er et 2e Bons
Cors
p cresc.
mf
Tromp.
mf
3 Tromb.
Tuba
1re et 2de Harpes
Vl.
Div.
mf
arco
più cresc.
Vla.
Div.
più cresc.
mf
Vcl.
più cresc.
mf
C.B.

56
a tempo
Gdes Fl.
Pte Fl.
Htb
Cor A.
Cl.
1er et 2e Bons
Cors
à 2
f très expressif
Tromp.
3 Tromb.
Tuba
1re et 2de Harpes
56
a tempo
Unis.
f très expressif
Vl.
Unis.
f très expressif
Unis.
Vla.
f très expressif
Vcl.
C.B.

Serrez
Gdes Fl.
f molto cresc.
Pte Fl.
f molto cresc.
Htb
f molto cresc.
Cor A.
f molto cresc.
Cl.
f molto cresc.
1er et 2e Bons
3e Bon
Cors
Tromp.
1er et 2e Tromb.
Tuba
Serrez
Vl.
f molto cresc.
f molto cresc.
Vla.
f molto cresc.
Vcl.
C.B.

57
au Mouvt
Pte Fl.
Hte
Cl.
1er et 2e Bons
à2
3e Bon
Cors
Tromp.
Cymb.
Gr.C.
57
au Mouvt
Sul G
ff vibrato
Vl.
Vla.
Vcl.
C.B.

Retenu
au Mouvt (en serrant peu à peu)
Pte Fl.
Htb
Cl.
1er et 2e Bons
mf
Cors
à 2
<f>p
Tromp.
pp
Cymb.
Gr. C.
p
Vl.
mf
p
pp
Vla.
Vcl.
C.B.
Pte Fl.
<f>p
Htb
Cl.
1o
Cors
pp
à2
Tromp.
les 2 Cymb.
Cymb.
Gr. C.
Vl.
pizz.
Vla.
Vcl.
C.B.

Pte Fl.
Htb
Cor A.
Cl.
1er et 2e Bons
3e Bon
à 2 bouchez
Cors
3 Tromp.
à 2 sourdines
Cornets
Cymb.
Gr.C.
pizz.
Vl.
pizz.
pizz.
arco
Vla.
pizz.
arco
Vcl.
arco
C.B.

Pte Fl.
Htb
Cor A.
Cl.
1er Bon
2e Bon
Cors
3 Tromp.
Cornets
Timb.
Cymb.
Gr.C.
baguettes de Timbales
arco
pizz.
più p
Vl.
Vla.
Vcl.
C.B.

58
Gdes Fl.
Htb
Cor A.
pp
Cl.
1er Bon
2e Bon
Tromp.
Timb.
Cymb.
Glock.
Vl.
Vla.
p expressif et en dehors
Vcl.
C.B.

Gdes Fl.
1o
p expressif
Htb
1o
p expressif
Cor A.
pp
Cl.
pp
1er Bon
pp
2e Bon
pp
Tromp.
1o
sourdines
pp
Timb.
Cymb.
pp
Glock.
pp
Vl.
Vla.
pizz.
pp
Vcl.
Div.
sempre pp
C.B.

Gdes Fl.
Htb
Cor A.
Cl.
1er Bon
2e Bon
Cors
Tromp.
Timb.
Cymb.
Glock.
Vl.
Vla.
Vcl.
C.B.
p poco a poco cresc.
p poco a poco cresc.
p poco a poco cresc.
pp
arco
p expressif
arco
pizz.

Pte Fl.
Htb
Cor A.
Cl.
1er Bon
2e Bon
Cors
Cornets
Cymb.
Glock.
Vl.
Vla.
Vcl.
C.B.

59
Pte Fl.
mf cresc.
f
Htb
1o
mf cresc.
à2
f
Cor A.
mf cresc.
f
Cl.
mf cresc.
f
1er Bon
f
2e Bon
mf cresc.
Cors
1o
mf cresc.
mf cresc.
f
Cornets
1o sourdine
p
p
p
Cymb.
Glock.
p
59
arco Div.
mf expressif cresc.
Unis.
sf > p
Vl.
pizz.
mf
mf
arco
sf > p
Vla.
pizz.
mf
mf
arco
sf > p
Vcl.
mf
arco
mf
f
très vibrant
C.B.
mf
arco
mf

Pte Fl.
Htb
Cor A.
Cl.
à 2
1er et 2e Bons
3e Bon
C. Bon
Cors
Timb.
Cymb.
Gr.C.
Vl.
Via.
Vcl.
C.B.
molto
Div.

60 Au Mouvt initial en laissant aller jusqu'au très animé
Pte Fl.
Htb
Cor A.
Cl.
1er et 2e Bons
3e Bon
C.Bon
Cors
cuivrez
Timb.
Cymb.
Gr.C.
60 Au Mouvt initial en laissant aller jusqu'au très animé
1rs Vons Div.
2ds Vons Div.
Altos Div.
Vcl.
C.B.
Div.
Unis.

Pte Fl.
Htb
Cor A.
Cl.
1er et 2e Bons
3e Bon
C. Bon
Cors
Timb.
Cymb.
Gr.C.
1.Vl.
2.Vl.
Vla,
Vcl.
C.B.
molto cresc.
p
mf
1o
3o

Gdes Fl.
Pte Fl.
à 2
Htb
Cor A.
Cl.
1er et 2e Bons
3e Bon
C Bon
p
Cors
mf
Cornets
Timb.
Cymb.
Gr. C.
1. Vl.
2. Vl.
Vla.
Vcl.
C.B.

à 2

Gdes Fl.

Pte Fl.

Htb

Cor A.

Cl.

1er et 2e Bons

3e Bon

C. Bon

Cors

1re et 2e Tromp.

Cornets

3 Tromb.

Tuba

Timb.

Cymb.

Gr. C.

1. Vl.

2. Vl.

Vla.

Vcl.

C.B.

à 2
Gdes Fl.
mf
Pte Fl.
Htb
mf
Cor A.
mf
Cl.
mf
à 2
Cors
f très sonore mais sans dureté
à 2
f très sonore mais sans dureté
1re et 2e
Tromp.
f très sonore mais sans dureté
3 Tromb.
f très sonore mais sans dureté
Tuba
f très sonore mais sans dureté
1.Vl.
mf
2.Vl.
mf
Vla.
mf
Div.
Vcl.
mf
C.B.
mf

Gdes Fl.

f

Pte Fl.

f

Htb

f

Cor A.

f

Cl.

f

Cors

più f

più f

1re et 2e Tromp.

più f

3 Tromb.

più f

Tuba

più f

1. Vl.

2. Vl.

Vla.

Vcl.

C.B.

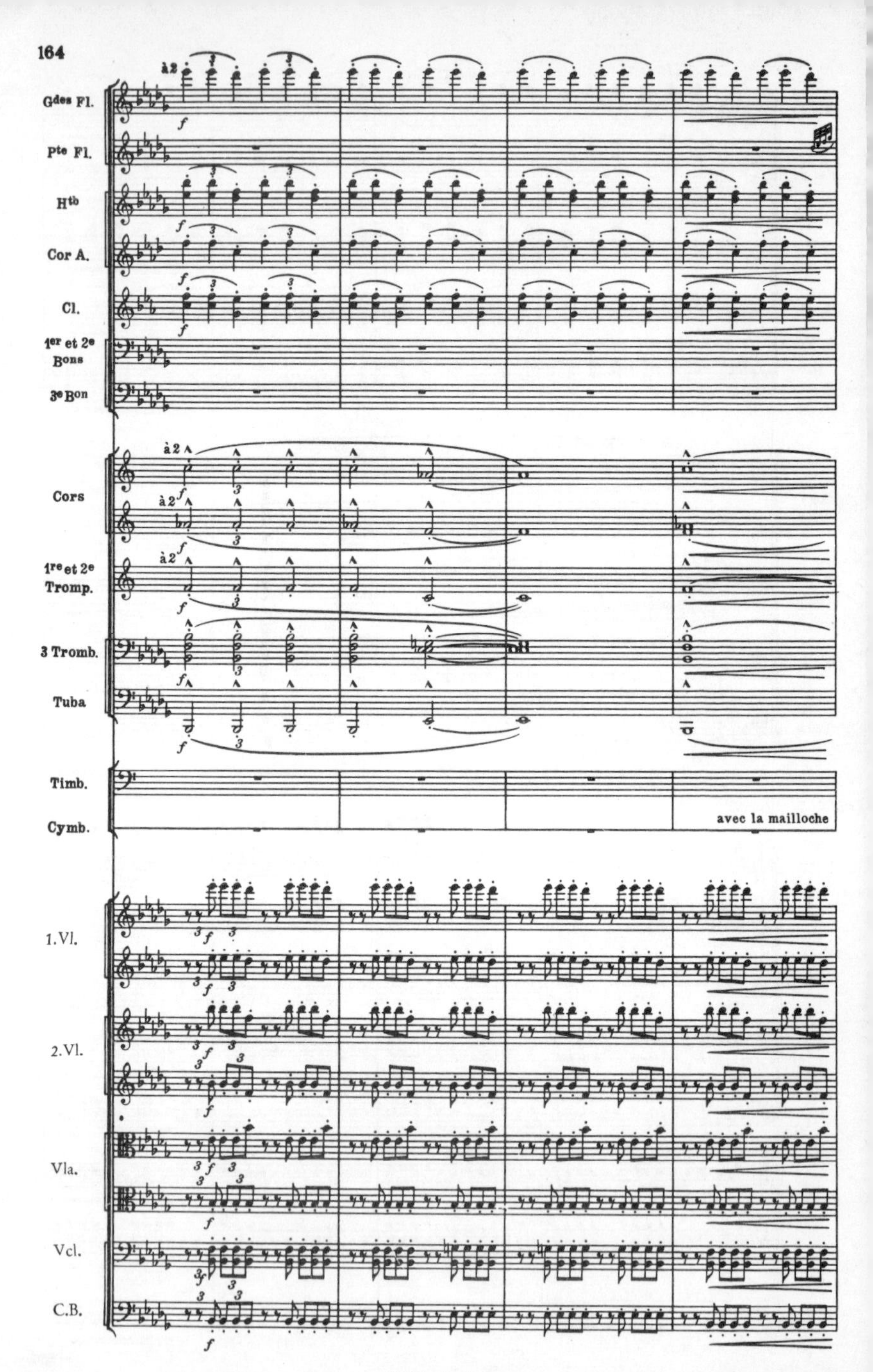

à 2
Gdes Fl.
Pte Fl.
Htb
Cor A.
Cl.
1er et 2e Bons
3e Bon
Cors
1re et 2e Tromp.
3 Tromb.
Tuba
Timb.
Cymb.
avec la mailloche
1.Vl.
2.Vl.
Vla.
Vcl.
C.B.

61 Très animé
Gdes Fl.
Pte Fl.
Htb
Cor A.
Cl.
1er et 2e Bons
3e Bon
C.Bon
Cors
3 Tromp.
Cornets
3 Tromb.
Tuba
Timb.
Cymb.
Gr.C.
61 Très animé
Vl.
Vla.
Vcl.
C.B.
Unis.
pizz.
arco
à 2

Gdes Fl.
Pte Fl.
Htb
Cor A.
Cl.
1er et 2e Bons
3e Bon
C. Bon
Cors
1re et 2e Tromp.
Cornets
3 Tromb.
Tuba
Timb.
Cymb.
Gr. C.
Vl.
Vla.
Vcl.
C.B.
à 2
pizz.
arco
avec la mailloche

62
Gdes Fl.
Pte Fl.
Htb
Cor A.
p molto cresc.
Cl.
p molto cresc.
1er et 2e Bons
p molto cresc.
3e Bon
C.Bon
Cors
1re et 2e Tromp.
Cornets
p molto cresc.
3 Tromb.
Tuba
Timb.
Cymb.
Gr. C.
T-tam
62
Vl.
près du chevalet
p molto cresc.
Vla.
près du chevalet
p molto cresc.
Vcl.
du talon
p molto cresc.
C.B.
du talon
p molto cresc.

Gdes Fl.
pte Fl.
Htb
Cor A.
Cl.
1er et 2e Bons
3e Bon
C.Bon
Cors
Tromp.
Cornets
3 Tromb.
Tuba
Timb.
Cymb.
Gr. C.
T-tam
Vl.
Vla.
Vcl.
C.B.
1o
à2
2o
p molto cresc.
mf molto cresc.
4o
Baguttes de Timbales
près du chevalet
du talon

à 2
Gdes Fl.
Pte Fl.
Htb
Cor A.
Cl.
1er et 2e Bons
3e Bon
C. Bon
Cors
à 2
f très sonore
3 Tromp.
à 3
Cornets
3 Tromb.
Tuba
Timb.
Cymb.
Gr. C.
T-tam
cresc.
position ordinaire
Vl.
Vla.
Vcl.
C.B.

63
Gdes Fl.
Pte Fl.
Htb
Cor A.
Cl.
1er et 2e Bons
3e Bon
C. Bon
Cors
3 Tromp.
Cornets
3 Tromb.
Tuba
Timb.
Cymb.
Gr. C.
T-tam
Vl.
Vla.
Vcl.
C.B.
à 2
2o et 3o
1o et 2o
3o
pizz.
ff
fff
f

Gdes Fl.
Pte Fl.
Htb
Cor A.
Cl.
1er et 2e Bons
3e Bon
C. Bon
Cors
3 Tromp.
Cornets
3 Tromb.
Tuba
Timb.
Cymb.
Gr. C.
T-tam
Vl.
Vla.
Vcl.
C.B.
à 2
tr
fff
ff
f
sec.
arco